AMAZIGH

AMAZIGH

itinéraire d'hommes libres

une histoire vécue par MOHAMED AREJDAL
et racontée par CEDRIC LIANO

STEINKIS

À la mémoire de ma grand-mère Maria « la Chinoise » Giacalone, née en 1925, à Casablanca, de parents siciliens, et mariée à Antonio Liano, né à Casablanca, de parents espagnols.

Aux sans-voix, aux autres, aux pas pareils.

La lucha es como un circulo,
se puede empezar en cualquier punto
pero nunca termina.

Sous-commandant Insurgé Marcos

La lutte est comme un cercle,
elle peut se commencer à n'importe quel point
mais elle ne se termine jamais.

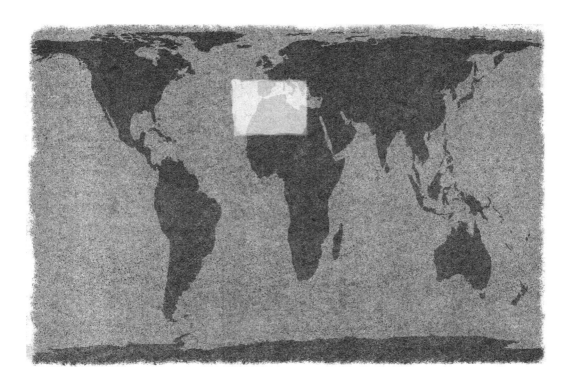

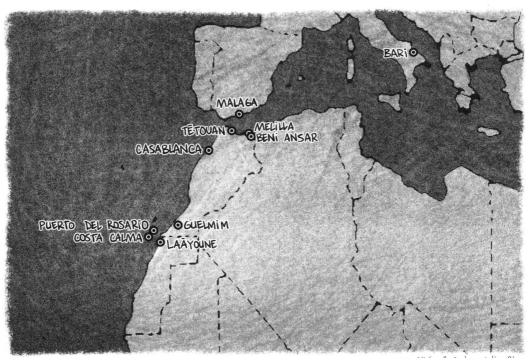

BARI

MALAGA

TÉTOUAN   MELILLA
      BENI ANSAR

CASABLANCA

PUERTO DEL ROSARIO   GUELMIM
COSTA CALMA
     LAÂYOUNE

cartes réalisées d'après la projection Peters

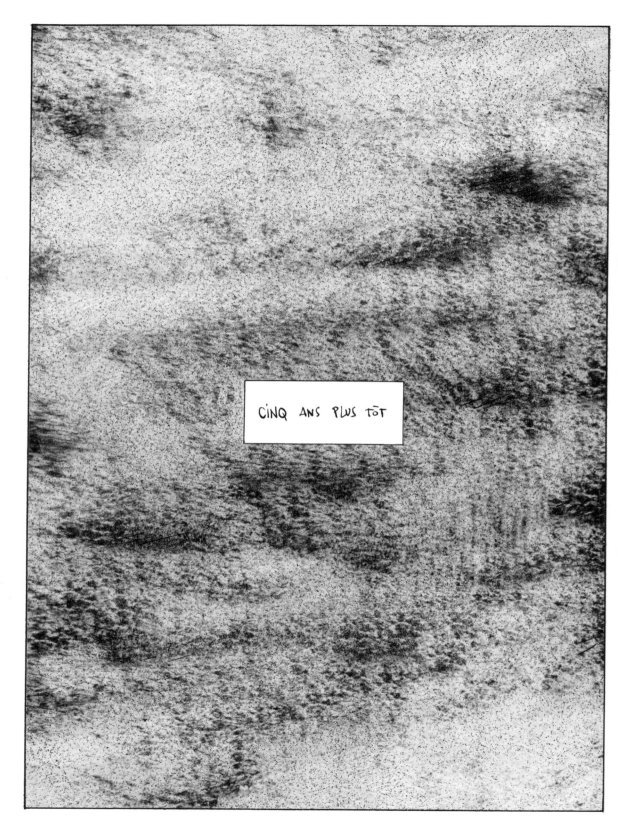

CINQ ANS PLUS TÔT

GUELMIM

TU SAIS QUE LE FILS DE MADAME OUMOUSSA EST REVENU D'ESPAGNE HIER? ET TU SAIS QU'IL EST ARRIVÉ DANS UNE TRÈS GROSSE VOITURE PLEINE DE CADEAUX POUR SA MÈRE?

OUI, JE SAIS...

OCTOBRE 2002

ET TU SAIS QUE LES DEUX FILS DE MADAME AFIFI SONT MAINTENANT EN FRANCE? TU SAIS QU'ILS ENVOIENT TOUS LES MOIS DE L'ARGENT À LEUR MÈRE? C'EST POUR ÇA QUE MADAME AFIFI ELLE EST FIÈRE DE SES FILS, PARCE QUE

OUI! JE SAIS... JE SAIS TOUT ÇA, MAMAN.

AH OUI? TU LE SAIS TOUT ÇA ?!? ET TU SAIS AUSSI TOUS LES SACRIFICES QUE JE FAIS POUR TOI? POUR QUE TU SOIS PROPRE, QUE TU AIES TOUJOURS À MANGER. TU LE SAIS TOUT ÇA, TOI ?!

NON! TOI, TU SAIS RIEN, MÊME TES ÉTUDES TU NE SAIS PAS LES FAIRE. TU REDOUBLES, TU NOUS FAIS HONTE À TON PÈRE ET À MOI. TU DESSINES, TU TRAÎNES AVEC TES MAUVAIS AMIS. RIEN DE BIEN TU SAIS FAIRE...

POURQUOI J'AI PAS EU UN FILS COMME MADAME AFIFI... POURQUOI?

11

JE M'APPELLE MOHAMED AREJDAL.

JE SUIS UN AMAZIGH*.

* prononcé AMAZIR. Signifie HOMME LIBRE, ou REBELLE. Ethnie autochtone vivant en Afrique du Nord avant les invasions romaines, chrétiennes, vandales et arabes.

LE VOILÀ! J'TE L'AVAIS DIT: C'EST SON ENDROIT ICI!

ON T'A CHERCHÉ TOUT L'APRÈS-MIDI.

TA VOISINE NOUS A DIT QU'ELLE A ENCORE ENTENDU TA MÈRE TE HURLER DESSUS.

ELLE PEUT PAS TE LÂCHER 5 MINUTES...

FECH ...

IL EST FIABLE COMME PASSEUR?

BIEN SÛR, MON FRÈRE, Y'A PAS PLUS FIABLE!!!

UN VOISIN EST PASSÉ AVEC LUI ET TOUT S'EST TRÈS BIEN PASSÉ.

ET C'EST POUR TE PARLER DE ÇA QU'ON TE CHERCHAIT.

ON A VU FECH CE MIDI. LE PROCHAIN DÉPART EST PRÉVU POUR DEMAIN SOIR.

ET GRÂCE À DIEU, MON GRAND FRÈRE PEUT ME PRÊTER L'ARGENT.

JE VAIS ALLER VIVRE LA VIE DE RÊVE EN EUROPE!

MAIS COMME NOS GRANDS FRÈRES ONT PAS PLUS DE FLOUZ QUE NOUS, ON VA CONTINUER LE CAUCHEMAR ICI. HEIN, MOH?!

PLUS POUR TRÈS LONGTEMPS MES AMIS, CAR DÈS QUE J'AURAI GAGNÉ ASSEZ, JE VOUS ENVERRAI DE QUOI PAYER LE PASSAGE.

EN ATTENDANT, POUR FÊTER MON DÉPART, JE VOUS OFFRE UN THÉ EN VILLE!

ET SANS LE SAVOIR NOUS PASSIONS NOTRE DERNIÈRE SOIRÉE ENSEMBLE, TOUS LES TROIS, À GUELMIM.

MES PARENTS SONT PARTIS TÔT LE MATIN POUR AMENER MA SOEUR CHEZ L'OPHTALMOLOGUE À AGADIR. ILS NE RENTRERONT QUE TARD LE SOIR.

J'AI TOUTE LA JOURNÉE POUR PRÉPARER MON DÉPART.

THE KING OF REGGAE

LE RENDEZ-VOUS EST FIXÉ À 19 HEURES AU COIN DU PARC.

J'HÉSITE longtemps ...

... PRENDRE L'ESSENTIEL.

MON PÈRE EST UN HOMME TRÈS BIEN ORGANISÉ.

IL RANGE TOUJOURS LES CLÉS DU MAGASIN ...

... AU MÊME ENDROIT.

JE QUITTE LA MAISON À L'HEURE DE LA SIESTE. LES GENS SONT REVENUS DE LA GRANDE PRIÈRE DU VENDREDI, ONT MANGÉ EN FAMILLE ET PROFITENT DE LEUR REPOS HEBDOMADAIRE.

LES RUES SONT VIDES, ET C'EST EXACTEMENT CE QU'IL ME FAUT.

TUB TULUB TLUB TULUBTUB TU BUB

MON PÈRE ?

FAIS BIEN ATTENTION MON FILS.

MOI ?

CE SOIR EST UN SOIR SPÉCIAL.

IL Y A UNE DIZAINE D'ANNÉES.

TU SAIS DÉJÀ QUE LA CAISSE DU MAGASIN EST ICI.

JE LUI VOLE LES 10 000 DIRHAMS DONT JE VAIS AVOIR BESOIN.

PUISQUE JE QUITTE CETTE VILLE DÉFINITIVEMENT, JE VAIS EN PROFITER POUR RÉGLER MES COMPTES.

SALAM.

?!

AH! SALAM, MOHAMED!

COMMENT VAS-TU?

BIEN?

ET LA FAMILLE, ÇA VA?

JE VEUX QUE TU ME RENDES L'ARGENT QUE TU ME DOIS.

BIEN SÛR MON FRÈRE, REPASSE LA SEMAINE PROCHAINE ET TU L'AURAS.

JE T'AI DÉJÀ DIT QUE LES CLIENTS AIMENT BEAUCOUP TON DESSIN DE L'ENSEIGNE?

TU ME DOIS 200 DH. DEPUIS 2 MOIS! ET JE LES VEUX MAINTENANT.

SINON..

* CHLEUH: peuple amazigh du Sud-Ouest du Maroc.

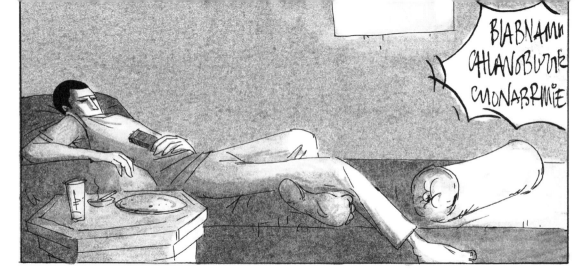

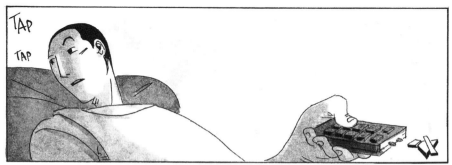

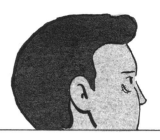

ON PART CE SOIR.

PRÉPARE TES AFFAIRES.

MAIS ?

NE T'INQUIÈTE PAS, J'AI L'ARGENT POUR NOUS DEUX.

?

VOUS AVEZ L'ARGENT ? TOUS LES DEUX ?

OUI.

TRÈS BIEN.

SUIVEZ-MOI

NOUS ROULONS DE NUIT POUR ÉVITER LES CONTRÔLES DE POLICE.

C'EST LA PREMIÈRE FOIS QUE JE PRENDS UN TAXI ILLÉGAL. LA PREMIÈRE FOIS QUE JE PARS SI LOIN DE GUELMIM.

J'AI TELLEMENT RÊVÉ DE L'EUROPE... J'AI HÂTE DE LA DÉCOUVRIR, ENFIN, ET DE POUVOIR Y TRAVAILLER, GAGNER DE L'ARGENT.

J'IMAGINE LA JOIE DE MA MÈRE QUAND JE REVIENDRAI CHARGÉ DE PARFUMS, DE CHOCOLATS, DE BEAUX VÊTEMENTS.

SANS PARLER DES FEMMES EUROPÉENNES...

HMMM.

APRÈS 8 HEURES DE ROUTE

LAAYOUNE

IL EST 4 HEURES DU MATIN DANS LE QUARTIER LE PLUS DANGEREUX DE LAÂYOUNE.

FECH CHERCHE UN AUTRE PASSEUR.

MAIS IL N'EST PAS AU RENDEZ-VOUS.

NOUS ALLONS LE CHERCHER CHEZ LUI !

MAIS POUR NE PAS SE FAIRE REPÉRER PAR LES FLICS...

... IL VA FALLOIR AVANCER DISCRÈTEMENT, EN LAISSANT DE L'ESPACE ENTRE VOUS.

ET AVANT CHAQUE CROISEMENT, IL FAUT VÉRIFIER QUE CELUI QUI VOUS SUIT A BIEN VU LE CHEMIN, ET SEULEMENT APRÈS VOUS POUVEZ TOURNER.

27

NOUS ARRIVONS À L'AUBE.

INSTALLEZ-VOUS.

REPOSEZ-VOUS.

J'AI L'IMPRESSION QUE MA TÊTE VA EXPLOSER.

JE PROFITE D'ÊTRE SEUL POUR CHANGER MON ARGENT DE PLACE ET LE METTRE DANS UNE MEILLEURE CACHETTE.

TOUS LES TROIS, SUIVEZ-MOI ...

ABDALLAH, LE CHEF, VEUT VOUS VOIR.

SOYEZ LES BIENVENUS.

ASSEYEZ-VOUS.

PRENEZ UN VERRE DE THÉ.

ABDALLAH NOUS QUESTIONNE SUR NOS ORIGINES, SUR LES GENS QUE NOUS CONNAISSONS. J'ESSAYE DE BIEN LUI RÉPONDRE, JE VEUX QU'IL M'APPRÉCIE.

JE LUI POSE AUSSI DES QUESTIONS AFIN DE SAVOIR SI JE PEUX LUI FAIRE CONFIANCE. POUR ME RASSURER IL ME PARLE DE DEUX JEUNES DE GUELMIM QUI SONT EN EUROPE GRÂCE À LUI.

IL NOUS DEMANDE SI NOUS AVONS DES CONTACTS AUX ÎLES CANARIES. MOI, JE N'AI QUE LE NUMÉRO DE TÉLÉPHONE D'UN AMI DU VOISINAGE. HEUREUSEMENT, ALI, LUI, CONNAIT BEAUCOUP DE MONDE LÀ-BAS. ET DES PERSONNES FIABLES, DE LA FAMILLE PROCHE.

IL NOUS DIT QUE NOUS SOMMES LES PREMIERS DE LA CARGAISON (ON UTILISE AUSSI CE MOT POUR LES HUMAINS ?), QUE BEAUCOUP D'AUTRES VONT ARRIVER. QU'IL VA FALLOIR ÊTRE PATIENTS ET DISCIPLINÉS. PUIS IL NOUS RENVOIE DANS LA CHAMBRE.

DES CLANDESTINS ARRIVENT SANS CESSE.

ET MON MAL DE TÊTE M'EMPÊCHE DE DORMIR.

IL N'Y A RIEN À FAIRE.

RIEN À MANGER.

ATTENDRE.

LES HEURES PASSENT.

À LA NUIT TOMBÉE, LES PASSEURS NOUS FONT CHANGER DE MAISON.

UNE NOUVELLE JOURNÉE PASSE, COMME ÇA.

UN PASSEUR ME RÉVEILLE.

IL VEUT 1000 DIRHAMS. TOUT DE SUITE.

JE LUI DONNE SANS RÉFLÉCHIR.

LA DOULEUR DANS MON CRÂNE NE ME LAISSE AUCUN RÉPIT.

VOILÀ DEUX JOURS QUE NOUS SOMMES ENFERMÉS À LAÂYOUNE.

QUAND ALLONS-NOUS PARTIR ?

ALLONS-NOUS PARTIR ?

SOUDAIN, AU MILIEU DE LA NUIT

LEVEZ-VOUS !

LA VOITURE ATTEND DEHORS

DÉPÊCHEZ-VO

ET FERMEZ-LÀ.

À PEINE SORTIS DE LA VILLE, ILS NOUS FONT ENTRER DANS UN HANGAR ABANDONNÉ.

ILS DISENT QU'ILS VONT FAIRE LE PLEIN D'ESSENCE...

...QU'ILS SERONT VITE DE RETOUR.

ET NOUS ENFERMENT À CLÉ.

MAINTENANT, MON VENTRE AUSSI ME FAIT SOUFFRIR.

KREUÛH

KEUF

J'AI PEUR QU'ILS NOUS ABANDONNENT ICI.

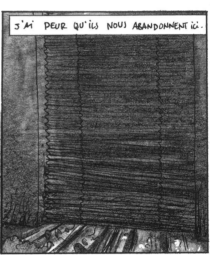

ALLEZ, DÉPÊCHEZ-VOUS !

NOUS PARTONS EN DIRECTION DU DÉSERT.

NOUS ROULONS LONGTEMPS, EMPRUNTANT DES ROUTES QUE SEULS LES PASSEURS CONNAISSENT.

IL FAIT TRÈS FROID.

JE VOMIS ENCORE.

LA VOITURE S'ARRÊTE ET FAIT DES APPELS DE PHARES. TROIS FOIS DE SUITE.

AU LOIN, UNE LUMIÈRE LUIT, PUIS DISPARAÎT.

TROIS FOIS.

NOUS SOMMES ARRIVÉS.

TROIS HOMMES NOUS ATTENDENT.

LE BATEAU AUSSI.

SON ÉTAT M'INQUIÈTE.

IL N'EST PAS FINI.

ON VOIT LE JOUR ENTRE LES PLANCHES.

TOUS LES JOURS, LE 4X4 REVIENT AVEC DE NOUVEAUX CLANDESTINS.

CERTAINS ONT DÉJÀ REUSSI À PASSER EN EUROPE MAIS SE SONT FAIT ATTRAPER LÀ-BAS, ET RENVOYER. D'AUTRES SONT DÉJÀ ARRIVÉS DANS LE DÉSERT, COMME MAINTENANT, MAIS N'ONT JAMAIS VU LA MER, ABANDONNÉS PAR LES PASSEURS. ILS RACONTENT QUE DES GENS SONT MORTS DANS LE DÉSERT. ILS DISENT QUE C'EST SURTOUT AUX NOIRS QUE ÇA ARRIVE. IL Y A AUSSI LES HISTOIRES DE CEUX QUI SONT MORTS AU MOMENT DE MONTER DANS LE BATEAU. OU D'EN DESCENDRE. PRESQUE PERSONNE NE SAIT NAGER. MOURIR À CE MOMENT-LÀ, ILS DISENT QUE ÇA ARRIVE SOUVENT.

PLUS JE TRAVAILLE SUR LE BATEAU, ET PLUS JE DOUTE QU'ON PUISSE TOUS TENIR DEDANS...

JE SYMPATHISE AVEC BAHA, LE GARDIEN SAHRAOUI. IL CONNAÎT CE DÉSERT PAR COEUR ET ME L'EXPLIQUE AVEC GENTILLESSE. JE L'APPRÉCIE ET J'ESPÈRE QUE C'EST RÉCIPROQUE... SI ÇA DEVAIT MAL TOURNER, IL POURRAIT M'AIDER.

LE DÉPART EST POUR BIENTÔT.

LE PROBLÈME, C'EST QUE MAINTENANT, VOUS ÊTES TROP NOMBREUX.

SI TU VEUX PARTIR, TU DOIS ME DONNER TOUT L'ARGENT POUR TOI ET TON AMI.

MAINTENANT.

JE NE SAIS PAS QUOI FAIRE... ET SI C'ÉTAIT UNE SORTE DE TEST?

JE LUI DONNE TOUT MON ARGENT.

LE REPAS À PEINE FINI, NOUS HISSONS LE BATEAU AU-DESSUS D'UN DES 4x4.

ON S'ENTASSE DANS LES VOITURES SOUS LES HURLEMENTS DE SAÏD.

PLUS PERSONNE NE PARLE...

LES CONDUCTEURS PRENNENT DES ROUTES INVISIBLES.

LE TRAJET EST ÉPUISANT.

LES ROUES SE BLOQUENT PLUSIEURS FOIS DANS LE SABLE.

NOUS FAISONS UN ARRÊT DEVANT LE MURET DE PROTECTION DE LA PLAGE. JUSTE À L'ENDROIT OÙ LES PASSEURS L'ONT DÉFONCÉ.

PHARES ÉTEINTS.

UNE LAMPE-TORCHE S'ALLUME ET LES VOITURES REDÉMARRENT.

LA TENSION EST À SON MAXIMUM.

IL FAUT FAIRE VITE AVANT QUE LA POLICE NE NOUS TROUVE.

À PEINE MIS À L'EAU, ET C'EST LA BOUSCULADE. LA PEUR DE NE PAS PARTIR EST PLUS FORTE QUE LA PEUR DE SE NOYER.

PLUS FORTE MÊME QUE LA PEUR DE SAÏD ET DE SON COUTEAU.

BOUFOUSS, ALI ET MOI AVONS PU MONTER.

ÇA VA SI VITE... ILS SONT PLUSIEURS À RESTER SUR LA PLAGE.

LA PEUR ET L'ESPOIR S'ENTREMÊLENT.

LE DÉBUT DU VOYAGE... LA FIN DE MA VIE ?

LE DÉBUT DE MA VIE ET LA FIN DES DIFFICULTÉS.

QUE SUIS-JE EN TRAIN DE FAIRE ?

NOUS COMMENÇONS UNE PRIÈRE AU PROPHÈTE.

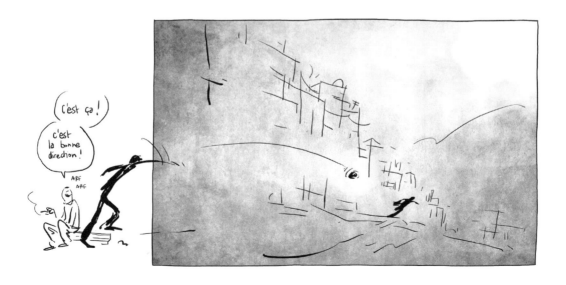

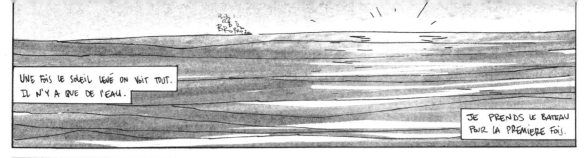

UNE FOIS LE SOLEIL LEVÉ ON VOIT TOUT.
IL N'Y A QUE DE L'EAU.

JE PRENDS LE BATEAU
POUR LA PREMIÈRE FOIS.

LES HOMMES ÉCOPENT EN SILENCE OU VOMISSENT BRUYAMMENT.

LA MAJORITÉ D'ENTRE NOUS EST MALADE.

PARDONNEZ-MOI,
MES CHERS ENFANTS.
JE VOUS AI ABANDONNÉS...

PARDONNEZ-MOI, MON DIEU.
PERMETTEZ-MOI DE RETOURNER
AUPRÈS DE MES ENFANTS. C'EST
POUR EUX QUE JE FAIS ÇA...

FERME-LA!

TU ME FATIGUES.

OUAIS,
FERM'-LA!

ÉCOPE, ÇA
T'OCCUPERA.

OUAIS, ÉCOPE AU LIEU DE
NOUS FATIGUER!

LE MOTEUR NE REPART PAS.

NOUS DÉRIVONS UNE ÉTERNITÉ.

PUIS, ENTRE DEUX JURONS, DEUX PRIÈRES, DEUX MALAISES, LE MOTEUR REPART. MAIS LA PEUR RESTE FIGÉE SUR TOUS LES VISAGES.

LE SOLEIL SE COUCHE. NOUS AURIONS DÛ ARRIVER DEPUIS LONGTEMPS.

NOUS SOMMES PERDUS, ET LE MOTEUR RECOMMENCE SES RATÉS...

... ET S'ARRÊTE COMPLÈTEMENT.

L'INQUIÉTUDE DEVIENT INSUPPORTABLE ...

... 1/4 D'HEURE APRÈS, LE BATEAU REPART.

PARFOIS, L'UN D'ENTRE NOUS VOIT UNE ÎLE AU LOIN. MAIS APRÈS UN ÉCLAT DE JOIE, CHAQUE FOIS NOUS RÉALISONS QUE CE N'ÉTAIT QU'UN MIRAGE, UN NUAGE.

LE VIEL HOMME RECOMMENCE SES PLAINTES QUI EMPORTENT NOS DERNIERS ESPOIRS.

LA NUIT EST GLACIALE. JE PRIE MAINTENANT POUR QUE DES GARDE-CÔTES NOUS ARRÊTENT. J'AI TRÈS PEUR DE MOURIR AU MILIEU DE TOUTE CETTE EAU.

PEUR QUE MA FAMILLE NE SACHE JAMAIS CE QUE JE SUIS DEVENU.

LU... LUMIÈRE!!!

REGARDEZ!

PAR LÀ !!!

QUOI?

LUMIÈRE?

OÙ?

QUOI?

MIRAGE...

MERCI !

MERCI MON DIEU !

POUSSE-TOI!

UNE ÎLE!

OÙ ÇA?

LUMIÈRE!

UNE ÎLE!!!

NOUS ÉVITONS DE CHAVIRER DE JUSTESSE.

ET, UNE FOIS PROCHE DE LA DE LA PLAGE, TOUT S'ACCÉLÈRE.

AVEC CEUX QUI N'ONT PAS FUI, NOUS TIRONS LE BATEAU SUR LA PLAGE.

ALORS, C'EST À NOTRE TOUR DE FILER SANS NOUS RETOURNER.

BOUFOUSS ET ALI COURENT TROP VITE, ET JE N'AI PAS LA FORCE DE CRIER...

QUELQUES MÈTRES PLUS LOIN, JE M'ÉCROULE ET M'ENDORS.

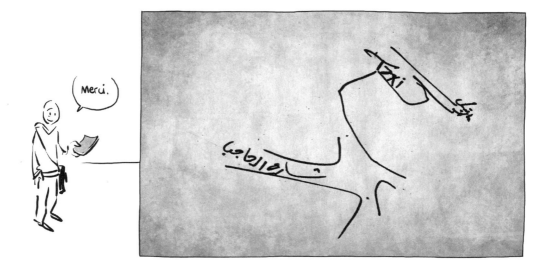

ILE DE FUERTE VENTURA
ARCHIPEL DES CANARIES
ESPAGNE
EUROPE

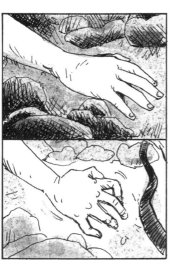

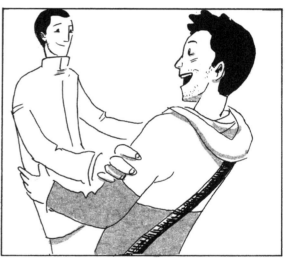

BOUFOUSS EST EN COLÈRE.

IL ME RACONTE QU'À LEUR RÉVEIL, ALI ÉTAIT PRESSÉ. IL AVAIT PEUR QUE LES POLICIERS DÉBARQUENT, ET VOULAIT PARTIR SANS PERDRE DE TEMPS À ME CHERCHER.

MAIS BOUFOUSS S'EST FÂCHÉ.

ALORS ALI EST PARTI TOUT SEUL EN DIRECTION DE LA VILLE QU'ON APERÇOIT UN PEU PLUS LOIN, ET BOUFOUSS EST REVENU ME CHERCHER.

IL FAUT ABSOLUMENT RETROUVER ALI. IL A LES CONTACTS, UN TÉLÉPHONE PORTABLE, ET C'EST LE SEUL QUI A DE L'ARGENT.

COSTA CALMA

IL DOIT SÛREMENT NOUS ATTENDRE DANS UN ENDROIT FACILE À TROUVER.

À BIEN Y REGARDER, LEURS MAISONS RESSEMBLENT AUX NÔTRES. LEURS PAYSAGES AUSSI.

JE CACHE MA DÉCEPTION À BOUFOUSS.

EST-CE QU'IL PENSE COMME MOI ?

ALI DOIT AUSSI ÊTRE À NOTRE RECHERCHE EN CE MOMENT.

ESPÉRONS QU'IL VA BIEN.

QUE LA POLICE NE L'A PAS ARRÊTÉ.

APRÈS LA SIESTE, TOUJOURS AFFAMÉS, NOUS PARTONS CHERCHER DE L'AIDE. J'UTILISE ALORS CE SÉSAME UNIVERSEL.

SALAM ALEIKOUM !

ALEIKOUM SALAM.

AVANCEZ, JE VOUS REJOINS SUR LA PLAGE.

COMMENT JE PEUX T'AIDER, MON FRÈRE ?

NOUS AVONS FAIM ... SOIF ... ET ON A BESOIN DE TÉLÉPHONER ... ET ... ON A PAS D'ARGENT.

JE RACONTE NOTRE HISTOIRE À CE VACANCIER MAURITANIEN.

HOTEL RIO CALMA

IL NOUS DONNE 10 EUROS.

ET LA BÉNÉDICTION D'UNE ROUTE EN PAIX POUR LA SUITE DE NOTRE VOYAGE.

ALORS ?

ENCORE CETTE VOIX D'ORDINATEUR.

HMM

JE VAIS RÉESSAYER.

ENCORE ?

UNE DERNIÈRE FOIS.

IL RESTE ASSEZ DE SOUS ?

EUH ... OUI, OUI ...

... 928 ... 512 ... 477.

ALORS ?

APRÈS L'ÉCHEC DU TÉLÉPHONE, NOUS CONTINUONS À TOURNER EN VILLE À LA RECHERCHE D'ALI. C'EST LÀ QUE NOUS RENCONTRONS SMAIL ET SELK. ARRIVÉS DE LAAYOUNE IL Y A QUATRE ANS, ILS VIVENT ET TRAVAILLENT ICI DEPUIS.

ILS NOUS INVITENT CHEZ EUX, NOUS OFFRENT DES JUS DE FRUITS, UNE DOUCHE CHAUDE ET DES VÊTEMENTS PROPRES.

ILS NOUS DONNENT L'ARGENT POUR REJOINDRE PUERTO DEL ROSARIO, LA CAPITALE DE L'ÎLE. D'APRÈS EUX, IL Y A PLUS DE CHOSES À FAIRE LÀ-BAS.

ALI AUSSI EST SÛREMENT PARTI POUR LA CAPITALE... J'ESPÈRE, CAR... SANS LUI...

... PAS UN MOT D'ESPAGNOL, AUCUN CONTACT, PAS UN SEUL EURO EN POCHE. QU'ALLONS-NOUS FAIRE?

T'AS PAS FAIM, TOI?

SI.

55

MOI, J'AI SUPER FAIM.

ATTENTION !

NOUS CROISONS UN NOMBRE INCROYABLE DE VOITURES DE POLICE.

ON NE PEUT PAS SE FAIRE ARRÊTER. PAS MAINTENANT. PAS DÉJÀ.

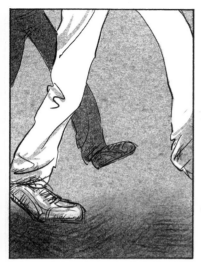

SALAM !

UN GROUPE DE JEUNES MAROCAINS S'AMUSE À NOUS REGARDER MANGER LES SANDWICHS QU'ILS NOUS ONT OFFERTS.

EST-CE DU PORC ? TANT PIS.

J'AI PLUS FAIM. MAINTENANT, IL FAUT QUE JE DORME.

MANGER, BOIRE ET DORMIR... NOUS SOMMES LAMENTABLEMENT GUIDÉS PAR NOS INSTINCTS LES PLUS PRIMAIRES.

IL FAUT QU'ON TROUVE UN ENDROIT TRANQUILLE.

ON A CROISÉ DES MAISONS EN CONSTRUCTION EN ARRIVANT EN BUS.

C'EST PAS LOIN.

NOUS METTONS DEUX HEURES À LES RETROUVER.

COMMENCE ALORS LA CONFECTION DE NOS LITS DE FORTUNE.

BOUFOUSS DIT QU'ON CONSTRUIT NOS TOMBES.

DEMAIN IL FAUT RETROUVER ALI. ON NE TIENDRA PLUS LONGTEMPS SANS LUI.

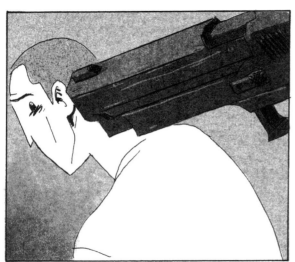

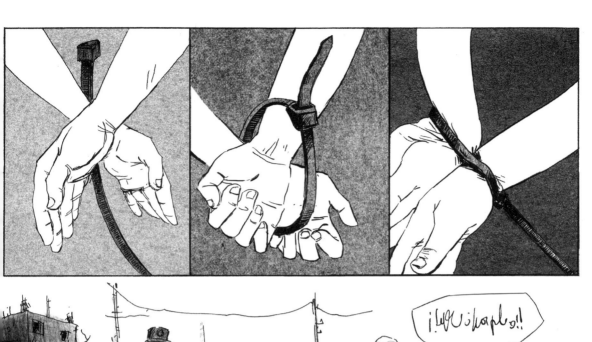

ENFERMÉS.

PIÉGÉS.

LE MOTEUR DÉMARRE.

VRRRRR

LA CLIMATISATION AUSSI.

ILS NOUS TRANSPORTENT DANS UN FOURGON FRIGORIFIQUE.

LE FROID EMPÊCHE DE RÉFLÉCHIR.

GLAP
GLAP
GLAP
GLAP
GLAP
GLAP
GLAP

UN COMMISSARIAT...

C'EST LA FIN ?

61

JE VAIS TOUT TRADUIRE POUR TOI.

JE RÉPONDS HONNÊTEMENT À TOUTES LES QUESTIONS.

SAUF POUR MON ÂGE.

C'EST MON SEUL MENSONGE.

IL NE FAUT PAS QU'ILS DÉCOUVRENT QUE JE SUIS MAJEUR, SINON, ILS VONT M'EXPULSER... J'AI TOUT JUSTE 18 ANS, ET IL NE FAUT SURTOUT PAS QU'ILS SACHENT...

LE POLICIER TE DEMANDE POURQUOI TU AS TANT DE BARBE À 14 ANS ?!?

C'EST COMME ÇA DANS MA FAMILLE.

¡BLOU$[0]!6U13!

HMM...

M65$.

HMM...

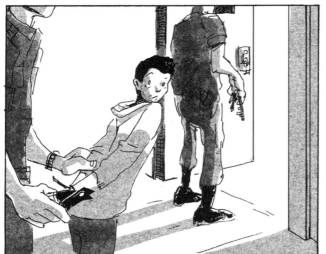

L'APRÈS-MIDI ILS M'AMÈNENT À L'HÔPITAL.

DÉTERMINATION MÉDICO-LÉGALE DE L'ÂGE.

EXPERTISE OSSEUSE.

RADIOGRAPHIE DU POIGNET.

EST-CE QUE MON ÂGE EST VRAIMENT MARQUÉ DANS MES OS ?

POURQUOI NE ME RAMÈNENT-ILS PAS AU COMMISSARIAT ? QUEL EST CET ENDROIT ?

¡JU5J5O!!!!

¡LEVO...

CENTRO DEL NIÑO ?

65

ELLE S'APPELLE SWEZDA. C'EST LA PREMIÈRE ÉTRANGÈRE QUI SE MONTRE BIENVEILLANTE AVEC MOI.

ELLE DIT QUE JE VAIS RESTER AU CENTRE JUSQU'À CE QU'ILS REÇOIVENT LES TESTS DE MAJORITÉ.

ELLE DIT QUE D'ICI-LÀ, JE PEUX ME REPOSER. ELLE DIT QUE SI JE SUIS DÉCLARÉ MINEUR, JE RESTERAI ICI ET ELLE M'AIDERA.

ELLE ME DEMANDE CE QUE JE VEUX FAIRE DANS LA VIE.

"DIS LUI QUE JE SUIS UN ARTISTE QUI A ÉMIGRÉ POUR VIVRE DE SON ART. PUIS-JE AVOIR UNE FEUILLE BLANCHE?"

ᲬᲘᲬᲝᲗᲗᲒ ᲬᲝᲣᲦᲒᲠᲘ ᲠᲤᲝᲚ...

ELLE TE DIT DE PAS TROP INSISTER SUR SES DÉFAUTS.

DIS-LUI QUE JE N'EN VOIS PAS.

ᲬᲘᲬᲝᲘᲘ ᲙᲐᲡᲝᲘᲒ

MERCI BEAUCOUP.

LA CHANCE ARRIVE ! SWEZDA SAIT COMMENT ÇA FONCTIONNE, ELLE VA M'AIDER.

TOUT VA BIEN MAINTENANT.

JE NE SUIS PLUS TOUT SEUL.

FADL EST TRÈS GENTIL, PRÉVENANT. IL ME PARLE DE LUI, IL EST TRÈS PIEUX.

EN TANT QUE SANS PAPIERS, DE 16 ANS, IL N'EST PAS INQUIÉTÉ D'EXPULSION.

IL EST NOURRI, LOGÉ, ET ÉTUDIE DANS UNE ÉCOLE ESPAGNOLE.

JE LUI RACONTE NOTRE VOYAGE... ET CE QU'ON A VÉCU AVEC BOUFOUSS DEPUIS NOTRE ARRIVÉE.

NOUS PARLONS DE NOS FAMILLES.

DE MES PROJETS.

DONC VOILÀ, C'EST POUR FAIRE ÇA QUE JE SUIS VENU ICI ... C'EST MON SEUL ESPOIR.

ARTISTE ...

JE VAIS ÊTRE FRANC, ILS NE CROIRONT JAMAIS QUE TU AS 14 ANS ET LA POLICE VA VENIR TE CHERCHER.

TU DOIS PARTIR À LAS PALMAS, UNE AUTRE ÎLE DES CANARIES. LÀ-BAS IL Y A PLUS DE TOURISTES, ET TU POURRAS LEUR VENDRE TES TRUCS ARTISTIQUES...

JE M'EN OCCUPE. ATTENDS-MOI.

MOHAMED !?

MOHAMED, TU DORS ?

EUH ... NON, JE ...

TIENS. PRENDS CET ARGENT.

TU AS DE QUOI APPELER TES PARENTS MAINTENANT ...

... ET TE PAYER UN TICKET DE BATEAU. TU DOIS PARTIR DEMAIN À LA PREMIÈRE HEURE.

71

T'ÉTAIS PASSÉ OÙ, TOI ?

HÉ !! J'TE PARLE !

WH6, BÂTARD !

FADL M'A LAISSÉ UN T-SHIRT PROPRE.

ET UN RADIO-CASSETTE.

J'ÉCOUTE MA CASSETTE DE MUSIQUE DANS LE DORTOIR VIDE ET JE PLEURE.

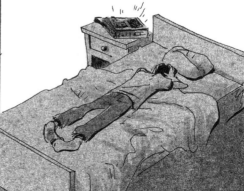

ÇA VA ALLER.

À LA PREMIÈRE HEURE, JE PRENDRAI LE BATEAU POUR MA NOUVELLE VIE.

DEMAIN, À LA PREMIÈRE HEURE, JE QUITTERAI CETTE ÎLE POUR ALLER SUR CELLE OÙ IL Y A DES ARTISTES.

BON. ÇA VA ALLER.

LÀ-BAS, JE FERAI DES DESSINS, DES PEINTURES ET DES SCULPTURES QUE JE VENDRAI AUX EUROPÉENS.

ILS APPRÉCIERONT MON TRAVAIL ET SI JE CROISE LA ROUTE D'UN INFLUENT, J'IRAI EXPOSER SUR LE CONTINENT.

ALORS, LÀ....

...ET APRÈS...

APRÈS, JE POURRAI FAIRE DES VOYAGES PARTOUT, OFFICIELLEMENT, ET JE POURRAI RENTRER CHEZ MOI.

MES PARENTS SERONT FIERS DE MOI.

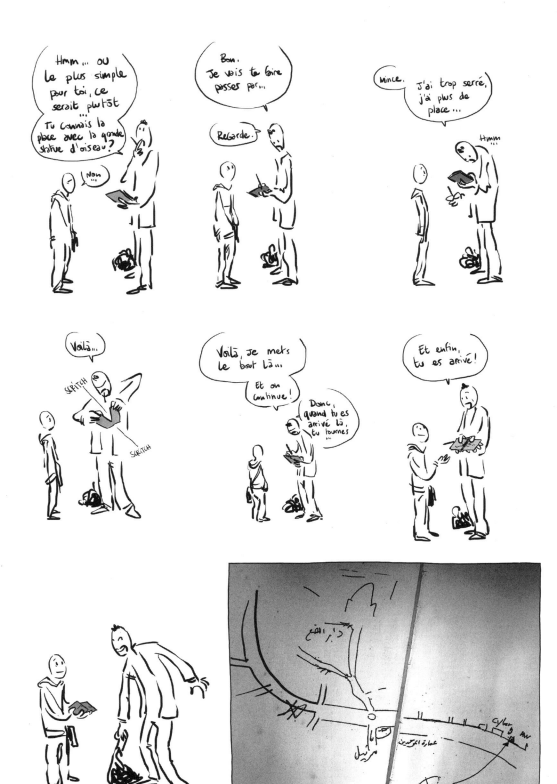

C'EST OFFICIEL, MES OS M'ONT TRAHI...

Roli di ri di flo clic

STOMP!!

STOMP

...JE SUIS MAJEUR.

MARRUECCOS!

MAJEUR, DONC EXPULSABLE

JE SUIS UN MARRUECCOS, ET JE NE PEUX RIEN FAIRE POUR CHANGER ÇA.

UN MARRUECCOS CLANDESTIN.

ET VOUS ALLEZ ME RENVOYER.

VOUS AVEZ GAGNÉ.

STOMP

JE NE SERAI JAMAIS ARTISTE.

HI KLÉ

KLANG

AKUT

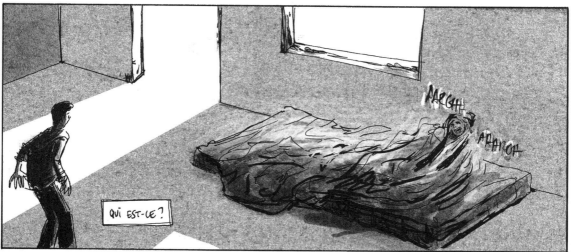

BOUFOUSS M'EXPLIQUE QU'IL EST RESTÉ ICI DANS CETTE GRANDE CELLULE, TOUT LE TEMPS, ILS L'ONT JUSTE SORTI POUR LES RADIOS DU POIGNET À L'HÔPITAL. DEPUIS IL ATTEND LES RESULTATS, MAIS IL A CONFIANCE, IL EST MINEUR, LUI!

IL EST DÉSOLÉ QUE ÇA AIT RATÉ POUR MOI. IL DIT QU'IL TROUVERA UNE SOLUTION POUR MOI UNE FOIS QU'IL SERA LIBÉRÉ.

IL IRA DEMANDER DE L'AIDE À CETTE SWEZDA - ELLE EST JOLIE?

IL DIT QU'APRÈS ON VIVRA TRANQUILLE ICI, OU MÊME À LAS PALMAS SI C'EST VRAIMENT MIEUX POUR MOI.

EN TOUT CAS, JE NE DOIS PAS BAISSER LES BRAS, PAS ÊTRE TRISTE.

ALLEZ, FAUT PAS QUE TU TE LAISSES ALLER. REGARDE LE BON CÔTÉ DES CHOSES: ON SE RETROUVE TOUS LES DEUX, EN BONNE SANTÉ...

"ET ICI C'EST COMME UN HÔTEL, ROOM-SERVICE RÉGULIER, TROIS FOIS PAR JOUR...

APRÈS, LE SOUCI... C'EST VRAI, ON EST ENFERMÉS DANS UN COMMISSARIAT...

LA FENÊTRE.

EUH...
OUI, C'EST VRAI, ON A AUSSI LA CHANCE D'AVOIR UNE FENÊTRE...

LE PETIT SOUCI DE CETTE FENÊTRE, C'EST LES COURANTS D'AIR. ILS AURAIENT PU METTRE DES VITRES.

OH NON ! HEUREUSEMENT QU'ELLE N'EN A PAS.

ÇA LAISSE LA CHANCE À UN PETIT GABARIT DE SE FAUFILER ENTRE LES BARREAUX

BOUFOUSS.

PRÊTE-MOI TON JOGGING S'IL-TE-PLAÎT.

EUH... MON JOGGING ?

OUI, CE PANTALON EST TROP SERRÉ ...

JE VAIS AVOIR BESOIN D'ÊTRE À L'AISE.

C'EST SERRÉ.

IL FAUT QUE ÇA PASSE.

ÇA DOIT PASSER, C'EST MA DERNIÈRE CHANCE.

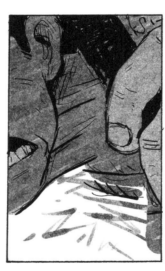

C'EST PASSÉ !!!

ILS SONT DÉJÀ LÀ ?!?

ILS ME FONT SIGNE DE RENTRER.

JE FAIS MINE D'OBPTEMPÉRER.

ILS BAISSENT LEUR GARDE.

JE COURS COMME JE N'AVAIS JAMAIS COURU.

JE DOIS M'ELOIGNER DE LA VILLE...

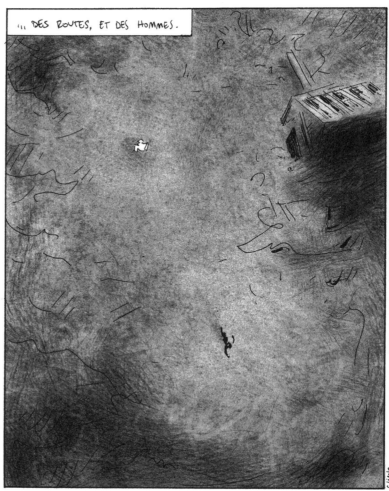

... DES ROUTES, ET DES HOMMES.

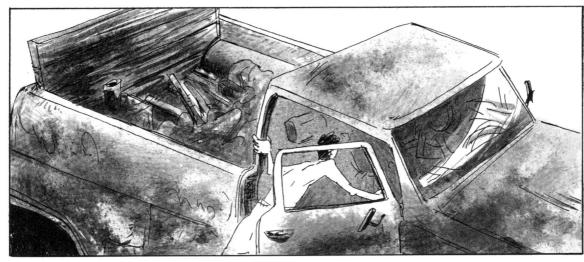

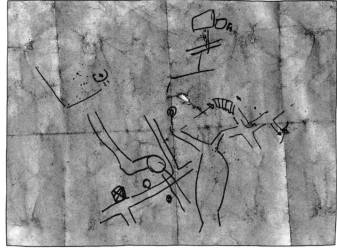

ILS ME JETTENT DANS UNE VOITURE.

JE FAIS LE MORT.

C'EST LA SEULE CHOSE QUE JE PUISSE FAIRE.

LA VOITURE S'ARRÊTE.

J'ENTROUVRE LES YEUX,

JE SUIS DE RETOUR AU COMMISSARIAT.

POUR LA TROISIÈME FOIS.

ILS ME TRAÎNENT À L'INTÉRIEUR, ET TENTENT DE M'ASSEOIR SUR UNE CHAISE.

TOUJOURS "INCONSCIENT", JE ME LAISSE GLISSER SUR LE CARRELAGE.

ILS SONT NOMBREUX AUTOUR DE MOI.

DES MAINS EXPERTES M'AUSCULTENT.

JE ME CONCENTRE DE TOUTES MES FORCES POUR NE PAS BOUGER.

ON M'OUVRE LES YEUX DE FORCE.

JE SUIS ÉBLOUI PAR UNE LUMIÈRE VIVE

JE PERÇOIS L'IMPATIENCE AUTOUR DE MOI.

J'ENTENDS DES RICANEMENTS, DES PETITS PAS PRESSÉS.

UNE GRANDE ÉCLABOUSSURE, ET UNE DOULEUR INCONNUE ME TRANSPERCE.

DE L'EAU GLACÉE.

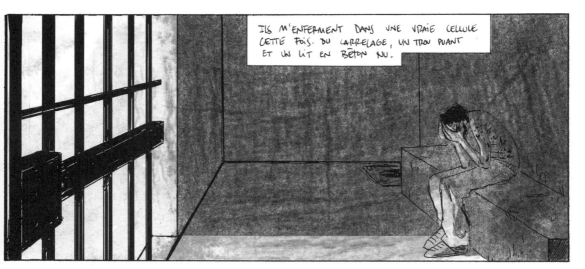

ILS M'ENFERMENT DANS UNE VRAIE CELLULE CETTE FOIS. DU CARRELAGE, UN TROU PUANT ET UN LIT EN BÉTON NU.

IMPOSSIBLE DE S'ÉVADER MAINTENANT.

EH! PSSS IT MOH!

BOUFOUSS A PROFITÉ D'UNE SORTIE AUX TOILETTES POUR M'APPORTER UN MATELAS ET DES COUVERTURES. IL ME PASSE AUSSI UN T-SHIRT.

JE SUIS RÉVEILLÉ À L'AUBE PAR LES HURLEMENTS DES POLICIERS. ILS FONT SORTIR UNE DIZAINE DE CLANDESTINS D'UNE GRANDE CELLULE À CÔTÉ.

PUIS VIENT MON TOUR.

FRIGORIFIÉS, NOUS NOUS DIRIGEONS VERS CE QUI SERA NOTRE DERNIÈRE PRISON SUR CETTE ÎLE.

GUERROUJ? MA TENTATIVE D'ÉVASION A DÛ FAIRE PARLER...

* HICHAM EL GUERROUJ, ATHLÈTE MAROCAIN COUREUR DE FOND, PLUSIEURS FOIS CHAMPION DU MONDE.

LA PLUS BELLE FEMME QUE J'AI VUE DE MA VIE.

JE ME FAIS PRENDRE LES EMPREINTES PAR MONICA BELLUCCI!

J'ESPÈRE QUE JE DEVRAI BIENTÔT LA REVOIR...

99

ET ÉTRANGEMENT, JE ME SENS... SEREIN.

EH, TOI ! LA STAR DE L'ÉVASION !

APPROCHE UN PEU.

ÉCOUTE BIEN, JE VAIS T'EXPLIQUER COMMENT ÇA SE PASSE ICI.

ICI, AUCUNE ÉVASION POSSIBLE, DONC TU VAS RIEN ESSAYER, OÙ J'TE DÉFONCE LA GUEULE, C'EST MOI LE CHEF.

LE CHEF DES ARABES. LES NÉGROS ONT LE LEUR.

MON RÔLE DANS CE MERDIER C'EST QUE TOUT SE DÉROULE BIEN GENTIMENT DURANT LA RÉTENTION.

ICI, ON RESTE 30 JOURS MAXIMUM.

PARFOIS C'EST MOINS, MAIS LE MAXIMUM CE SERA TOUJOURS 30 JOURS. PARCE QU'APRÈS, C'EST PLUS COMPLIQUÉ POUR EUX DE NOUS EXPULSER.

ET POUR QUE CE SOIT BIEN CLAIR : JE ME FOUS DE SAVOIR QUI TU ES, D'OÙ TU VIENS ET CE QUE TU VOULAIS FAIRE EN EUROPE.

LA SEULE CHOSE QUE JE VEUX, C'EST QUE TU FILES DROIT SINON JE VAIS ME FÂCHER, ET TU VAS PAS AIMER ÇA !

C'EST CLAIR DANS TA TÊTE ?!

MAINTENANT, SUIS-MOI.

ILS NOUS DONNENT TROIS REPAS PAR JOUR.

CHAQUE FOIS, JE FAIS L'APPEL, TU TE METS EN RANG AVEC LES AUTRES, TU ATTENDS TON TOUR DERRIÈRE CETTE LIGNE, TU PRENDS TON PLATEAU, ET TU DÉGAGES.

ON PASSE TOUJOURS APRÈS LES NOIRS.

AH OUI, LES NOIRS ...

LES NOIRS SONT TROIS FOIS PLUS NOMBREUX QUE NOUS ET TROIS FOIS MIEUX ORGANISÉS.

ILS ONT DES PRIVILÈGES, ET PAS NOUS.

C'EST COMME ÇA.

ON DORT SÉPARÉS D'EUX.

NOUS, NOS ENDROITS C'EST AUTOUR DU TAPIS ROULANT...

... ET À CÔTÉ DES RÉSERVES D'EAU, LÀ.

EUX, ILS ONT TOUT LE RESTE.

POUR LES DOUCHES, LA CROIX ROUGE T'A DONNÉ CE QU'IL FAUT. APRÈS, C'EST COMME POUR LES CHIOTTES, TU FAIS LA QUEUE. TROIS TOILETTES, TROIS PISSOTIÈRES ET TROIS DOUCHES POUR 150. JE TE CONSEILLE D'ÉVITER LES URGENCES.

POUR CE QUI EST DES LOISIRS, TU AS LA TÉLÉVISION, LES JEUX DE CARTES, OU LE BUSINESS...

MAIS ÉVITE LES NOIRS LE PLUS POSSIBLE.

LES JOURNÉES SONT LONGUES AVANT L'EXTINCTION DES FEUX.

ALORS TU PRENDS TON MAL EN PATIENCE.

ET SURTOUT, TU RESTES CALME.

SINON JE TE DÉFONCE TA RACE.

104

105

BOUFOUSS ARRIVE QUELQUES HEURES APRÈS MOI. SES POIGNETS ONT MENTI CONTRE LUI. DÉSORMAIS MAJEUR AUX YEUX DES AUTORITÉS, IL SERA EXPULSÉ COMME TOUS LES PRISONNIERS QUE NOUS SOMMES DANS CET ANCIEN HANGAR D'AÉROPORT.

LES MUSULMANS SE RÉUNISSENT CINQ FOIS PAR JOUR À LA MOSQUÉE POUR LES PRIÈRES. DES CARTONS DE LA CROIX ROUGE EN GUISE DE TAPIS.

J'APPRENDS VITE LES ASTUCES. LE TRAFIC EST CONSTANT, ET JE M'EN DONNE À CŒUR JOIE.

ÇA PASSE LE TEMPS

LES CATHOLIQUES PRIENT MOINS SOUVENT QUE NOUS. JUSTE UNE FOIS PAR JOUR...

"...MAIS C'EST UNE PLUS GRANDE FÊTE!

J'Y VAIS DÈS QUE JE PEUX. ILS DANSENT, ILS CHANTENT, ET JE FAIS COMME EUX.

MAIS, C'EST TOUS LES JOURS LA MÊME ROUTINE...

PFF...

...EXACTEMENT LA MÊME ROUTINE.

UN JOUR, APRÈS DEUX SEMAINES, A LIEU UN ÉVÉNEMENT EXCEPTIONNEL : LA VISITE MÉDICALE.

JE NE VAIS PAS RATER CETTE OCCASION !

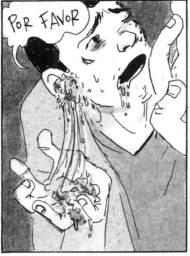

ET VOILÀ L'TRAVAIL...

MAINTENANT, RETROUVER MONICA !

SALAM ALEIKOUM !

SALAM

MOHAMED ?!

KHADIJA !

?

JE N'AURAIS JAMAIS ESPÉRÉ REVOIR LA GENTILLE PETITE TRADUCTRICE.

ELLE AUSSI EST HEUREUSE DE CES RETROUVAILLES CAR SWEZDA LUI AVAIT CONFIÉ UNE MISSION : ME RETROUVER DANS LE CENTRE POUR ME PASSER UN PAQUET. MAIS ELLES NE SAVAIENT PAS VRAIMENT COMME S'Y PRENDRE.

ELLE ME DEMANDE COMMENT JE VAIS, COMMENT JE ME SENS.

ELLE ME DIT QU'ELLES SE SONT INQUIÉTÉES QUAND ELLES ONT LU L'ARTICLE.

QUEL ARTICLE ?

CELUI QUI RACONTE COMMENT JE ME SUIS FAIS ATTRAPER APRÈS MON ÉVASION.

?

?

ELLE ME DIT QUE LA PHOTO LES A CHOQUÉES.

DES COULEURS ET DU PAPIER.

SWEZDA A TENU SA PROMESSE.

GRÂCE À ELLE MON QUOTIDIEN CHANGE...

... RADICALEMENT.

DU MATIN AU SOIR, JE PROFITE DE MON INESTIMABLE CADEAU.

LE CHEF DES ARABES M'AVAIT DIT POUR LES NOIRS, LEUR NOMBRE, LEUR MEILLEURE ORGANISATION, LEURS PRIVILÈGES... PAR EXEMPLE LEURS REPAS SERVIS TOUJOURS AVANT LES NÔTRES.

MAIS AUJOURD'HUI...

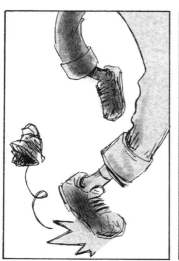

"LES PRIVILÈGES...

... C'EST POUR MOI !

C'EST MA POMME !

DÉGAGE !

110

JE VAIS M'EN CHERCHER UNE AUTRE.

CELLE-LÀ AUSSI C'EST LA MIENNE !

ALORS VA TE FAIRE FOUTRE.

MÊME SI JE SURJOUE, JE N'AVAIS PAS PRÉVU QU'IL FRAPPE SI FORT.

JE N'AVAIS PAS PRÉVU NON PLUS LA GUERRE QUI ÉCLATA AVANT QUE JE NE REPRENNE MON SOUFFLE.

AVANT MÊME QUE JE NE MESURE L'AMPLEUR DE LA BATAILLE, NOUS ÉTIONS TOUS MAÎTRISÉS.

UN OFFICIER SUPÉRIEUR NOUS PREND À PART DANS LE COULOIR. LE CHEF DES NOIRS, DES ARABES, ET MOI.

SA CRISE DURE BIEN PLUS LONGTEMPS QUE LA BAGARRE !

LE LENDEMAIN, APRÈS L'APPEL DU MATIN AVEC UNE DIZAINE D'AUTRES ARABES JE SUIS EMMENÉ AILLEURS.

MA 24ème JOURNÉE DE DÉTENTION, JE LA PASSE DANS UNE VRAIE PRISON. LES JOURS QUI SUIVENT SONT LES PLUS TRISTES DU VOYAGE. ENFERMÉS, À 16, LES UNS SUR LES AUTRES, AVEC RIEN D'AUTRE À FAIRE QUE LE BILAN DE NOS ÉCHECS.

ET POUR LES CHANCEUX QUI ONT UNE FAMILLE, LA CRAINTE DE SA RÉACTION À NOTRE RETOUR.

SURTOUT SI ON L'A TRAHIE POUR PARTIR. SURTOUT SI ON L'A VOLÉE.

SEUL LE CADEAU DE SWEZDA ME PERMET DE NE PAS SOMBRER COMPLÈTEMENT.

ILS VIENNENT NOUS CHERCHER À L'AUBE DU 30ème JOUR.

APRÈS UNE FOUILLE INTÉGRALE, ET UN PETIT DÉJEUNER, NOUS SOMMES MENOTTÉS 2 PAR 2 ET ENTASSÉS DANS DES CAMIONS-FRIGOS, DIRECTION L'AÉROPORT.

C'EST LA PREMIÈRE FOIS QUE JE FOULE UN TARMAC...

... LA PREMIÈRE FOIS QUE JE MONTE DANS UN AVION.

ET MALGRÉ LES CIRCONSTANCES ... J'ADORE ÇA !

ME VOILÀ VRAIMENT SUR LE CONTINENT EUROPÉEN.

MALAGA S'OFFRE À MOI JUSQU'AU PORT...

ELLE EST MAGNIFIQUE, MERVEILLEUSE.

J'AURAIS PU ÊTRE HEUREUX ICI.

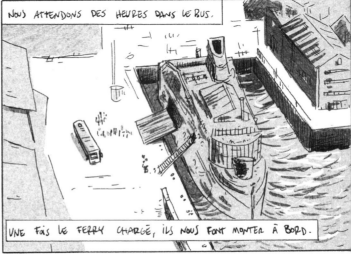

NOUS ATTENDONS DES HEURES DANS LE BUS.

UNE FOIS LE FERRY CHARGÉ, ILS NOUS FONT MONTER À BORD.

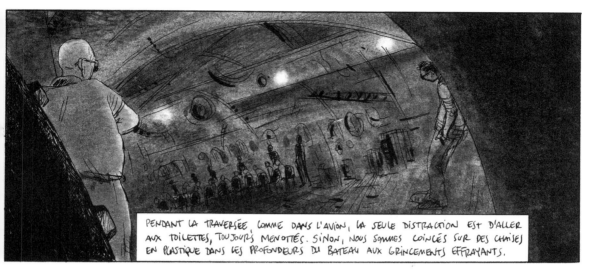

PENDANT LA TRAVERSÉE, COMME DANS L'AVION, LA SEULE DISTRACTION EST D'ALLER AUX TOILETTES, TOUJOURS MENOTTÉS. SINON, NOUS SOMMES COINCÉS SUR DES CHAISES EN PLASTIQUE DANS LES PROFONDEURS DU BATEAU AUX GRINCEMENTS EFFRAYANTS.

AU PETIT MATIN, NOUS DÉBARQUONS À MELILLA, DE RETOUR SUR LE CONTINENT AFRICAIN... MÊME SI CE BOUT DE TERRE, MINUSCULE, APPARTIENT DEPUIS DES SIÈCLES À L'ESPAGNE.

C'EST COMME ÇA, TOUJOURS ENTRAVÉ, QUE JE PASSE LA FRONTIÈRE QUI LES PROTÈGE DU TIERS-MONDE À QUELQUES KILOMÈTRES DU PORT.

COMME ÇA, DANS UNE FOURGONNETTE PUANT LA PISSE, LA MISÈRE ET LA PEUR, QU'ILS NOUS RENVOIENT DANS LE PAYS QUE NOUS AVONS FUI DE TOUTES NOS FORCES.

BIENVENUE CHEZ NOUS.

DANS UNE CELLULE DU COMMISSARIAT DE BENI-ANSAR.

EN ATTENTE DU JUGEMENT POUR MON CRIME, EN COMPAGNIE DE FOUS, DE CRIMINELS... ET DE CLANDESTINS. BOUFOUSS A ÉTÉ EMMENÉ AILLEURS... JE SUIS SEUL.

VOILÀ À QUOI RESSEMBLE MON RETOUR.

MON RETOUR AU MAROC.

DANS MON ROYAUME.

SALAM ALEIKOUM.

Hm...

LE JUGE EST CONTRARIÉ, ÇA M'INQUIÈTE...

NOUS SOMMES VENDREDI, EN PLEIN MOIS DE RAMADAN.

IL VEUT RENTRER CHEZ LUI POUR PROFITER DE SON WEEK-END...

IL RÈGLE MON CAS EN 5 MINUTES.

STOMP

STOMP

IL ME DIT QUE JE SUIS LIBRE...

... CONDAMNÉ À 800 DIRHAMS D'AMENDE POUR AVOIR TRAVERSÉ ILLÉGALEMENT LES FRONTIÈRES, MAIS LIBRE.

LIBRE D'ALLER OÙ ?

BRROUAHAHAHH

GRAT GRAT

ILS ONT LAISSÉ TOUT LE MONDE SORTIR DE CELLULE. ILS NE SERONT PAS JUGÉS. LES POLICIERS AUSSI VEULENT COMMENCER LEUR WEEKEND.

J'ARRIVE AU BON MOMENT: LA DISTRIBUTION DES AFFAIRES QU'ILS NOUS AVAIENT CONFISQUÉES.

BIEN ENTENDU, ÇA SE DÉROULE DANS LA VIOLENCE.

ET À CAUSE DU RAMADAN, C'EST MÊME PIRE. PARADOXALEMENT, DURANT CE MOIS D'UNE SPIRITUALITÉ SUPPOSÉE INTENSE, LES SITUATIONS DÉGÉNÈRENT BEAUCOUP PLUS VITE.

JE PROFITE DE LA CONFUSION POUR FOUILLER UN SAC QUE J'AVAIS REPÉRÉ.

JE GLISSE DANS MA POCHE UN TÉLÉPHONE PORTABLE AVANT DE M'ÉCLIPSER.

WAAH...

C'EST EN SORTANT DE CE COMMISSARIAT QUE JE ME SENS ENFIN LIBRE... ET CHEZ MOI.

C'EST LA PREMIÈRE FOIS QUE JE VIENS DANS LE NORD. AVANT, LES AUTORITÉS PAYAIENT UN BILLET DE BUS AUX CLANDESTINS ORIGINAIRES DU SUD COMME MOI. POUR PAS QU'ON FASSE DE PROBLÈMES CHEZ EUX, PROBABLEMENT...

MAIS NOUS SOMMES DEVENUS SI NOMBREUX QU'ILS ONT ARRÊTÉ.

ALORS J'ERRE, NE SACHANT PAS VRAIMENT QUOI FAIRE DE MA LIBERTÉ...

BOUFOUSS ?!

NOUS RESTONS QUELQUES JOURS À BENI ANSAR. LA JOURNÉE, NOUS NOUS REPOSONS À LA MOSQUÉE, LE SOIR, NOUS CHERCHONS LES REPAS GRATUITS...

... ET LA NUIT, NOUS DORMONS DANS UN HANGAR EN PÉRIPHÉRIE DE LA VILLE, ENTOURÉS DES INDIGENTS DE TOUTES ORIGINES, NOS FRÈRES.

AVEC EUX, NOUS ÉCHAFAUDONS LES MEILLEURS PLANS POUR CONQUÉRIR L'EUROPE, OU BIEN CHANGER LE MAROC. ON IMAGINE À QUEL POINT NOS VIES SERONT MEILLEURES. ON SE RACONTE AUSSI COMBIEN ELLES FURENT TRISTES.

C'EST ICI, ENTRE CES BÂCHES DE PLASTIQUE USÉES QUE BOUFOUSS ME CONVAINC DE RENTRER CHEZ NOUS.

AVEC LA VENTE DU TÉLÉPHONE VOLÉ, NOUS AVONS JUSTE ASSEZ POUR NOUS PAYER DES BILLETS JUSQUE CASABLANCA.

C'EST LA PREMIÈRE FOIS QUE JE VOIS LA CAPITALE.

BOUFOUSS A UNE TANTE QUI VIT ICI.

IL DIT QU'ELLE VA NOUS AIDER.

ELLE VA NOUS DONNER L'ARGENT POUR RENTRER CHEZ NOUS.

IL N'Y A QU'UN SEUL PROBLÈME.

BOUFOUSS N'EST VENU VOIR SA TANTE QU'UNE SEULE FOIS.

ET C'ÉTAIT QUAND IL ÉTAIT PETIT.

SON SEUL SOUVENIR CONCERNANT L'APPARTEMENT DE SA TANTE C'EST QU'IL EST PRÈS D'UNE PLACE OÙ IL Y A DES ARBRES.

NOUS MARCHONS DES HEURES SANS NOUS ARRÊTER.

AÏE!

FAIT CHIER!

À CASABLANCA, DES PLACES AVEC DES ARBRES...

... IL Y EN A BEAUCOUP.

ÉNORMÉMENT.

RHÂÂ!!

MAIS C'EST IMPOSSIBLE...

ON DIRAIT UNE PLACE AVEC DES ARBRES AU BOUT DE LA RUE... NON?

COMME L'AVAIT DIT BOUFOUSS, SA TANTE NOUS DONNE L'ARGENT POUR RENTRER CHEZ NOUS.

SAFI-SAFI

OUARZAZATE

AGADIR

AGADIR

GUELMIM ?

POUR FAIRE BAISSER LE PRIX, JE RACONTE NOTRE HISTOIRE AU VENDEUR DE BILLETS.

IL NOUS PROPOSE UN NOUVEAU RÉSEAU DE PASSEURS.

PAR L'ALGÉRIE, POUR ARRIVER EN GRÈCE.

UN PLAN SÛR ET PAS CHER.

LA GRÈCE
...

COMBIEN ?

QUAND ?

BOUFOUSS ESSAYE DE ME RAISONNER.

C'EST FINI MOH...
NOUS DEVONS RENTRER, MAINTENANT.

C'EST FINI.

EN TOUT CAS, LUI, IL RENTRE. AVEC OU SANS MOI.

JE SUIS TERRIFIÉ À L'IDÉE DE REVOIR MES PARENTS.

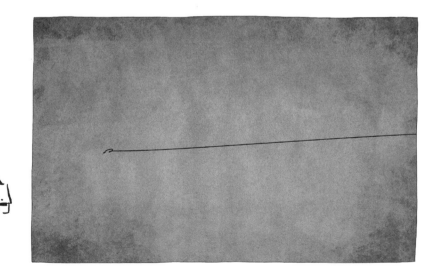

GUELMIM
DÉCEMBRE 2002

BOUFOUSS EST PRESSÉ.

NOUS NOUS QUITTONS SANS UN MOT.

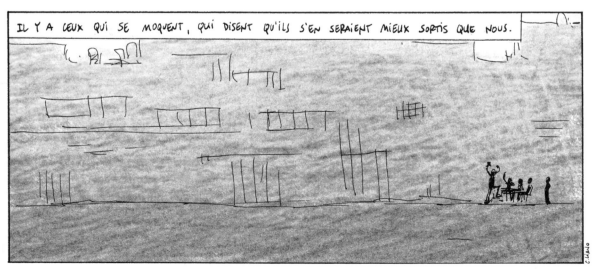

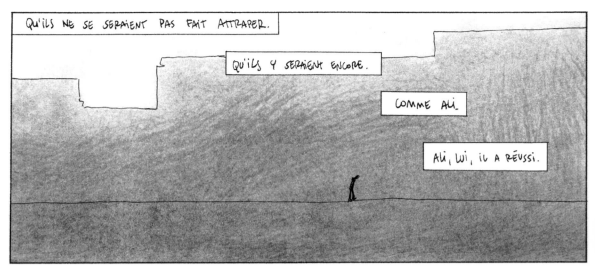

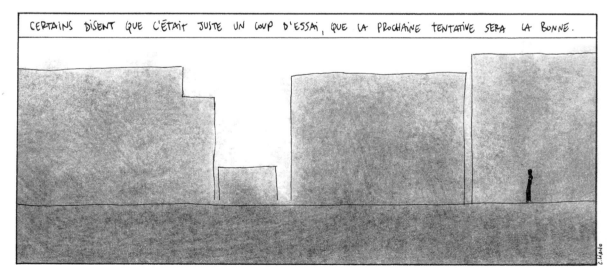

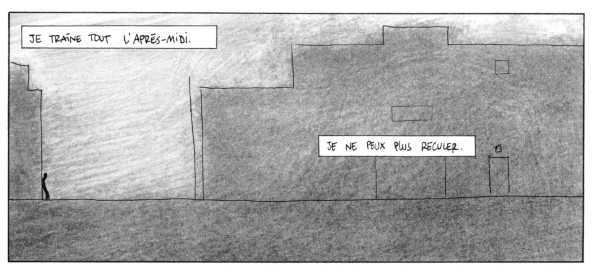

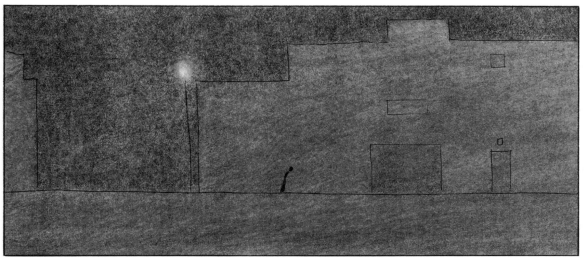

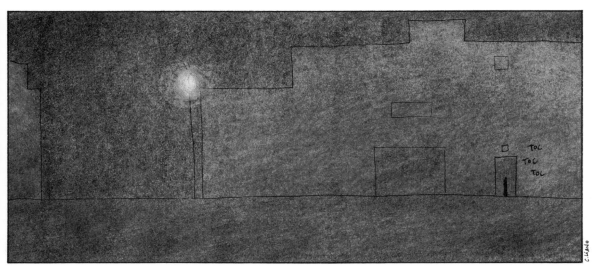

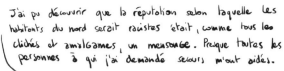

Il y a déjà un peu plus de cinq ans je traversais la frontière dans l'autre sens.

Tout s'est passé si vite depuis mon retour... la reprise des études, la difficile obtention du baccalauréat, la découverte de l'autre école d'art publique du pays à Tétouan, moins chère et plus loin de Guelmim, parfaite.

À Tetouan, j'ai découvert l'histoire de l'art et ses académismes, l'art contemporain et les performances, les installations. J'y rencontre les élèves qui deviennent des amis, nous découvrons ensemble la lutte et faisons la première grève contre l'administration de l'histoire de l'institut.

Et alors que la biennale m'offre un aller-retour en Europe, une petite voix dans ma tête me hurle de disparaître une fois le pied posé sur le sol italien.

Carnet documentaire

Mohamed Arejdal

Né en 1984 à Guelmim, dans le sud du Maroc.

Passionné de dessin et de sculpture, il expose en amateur mais à 17 ans, échoue au concours d'entrée de la filière art plastique de son lycée, est déscolarisé et tente une traversée clandestine vers les îles Canaries. Refoulé sur le sol marocain, il découvre la possibilité d'études supérieures artistiques, passe son bac et intègre l'Institut National des Beaux-arts de Tétouan. Il y apprend les actes d'installation et développe depuis une œuvre tournée vers l'Autre.

En 2007, l'un de ses projets est sélectionné par la Biennale des jeunes artistes de la Méditerranée à Bari, et il est invité sur le continent qui l'a expulsé cinq années auparavant.

En 2014, il fait partie des quinze artistes marocains dont les œuvres ont été sélectionnées pour l'exposition *Le Maroc contemporain*, à l'Institut du monde arabe (octobre 2014-janvier 2015).

Cédric Liano

Né en 1984 à Creil, dans le nord de la France.

Après un échec aux concours de l'école des Gobelins et d'Angoulême, des études de prothèse dentaire à Paris couronnées de succès et de Bande Dessinée à Tournai (Belgique) ainsi que plusieurs expériences de microéditions en Europe (*Champ-s Des Possibles XIII, PoFaPaM*), Cédric part apprendre et enseigner la BD à Tétouan, au Maroc, durant l'année scolaire 2007-2008. C'est alors qu'il fait la connaissance de Mohamed avec qui il va créer un mouvement artistique pluridisciplinaire révolutionnaire, le « **O** ». C'est au cours de cette collaboration que Mohamed lui confie son expérience de voyage clandestin. Il enregistre alors scrupuleusement son récit afin de pouvoir le transmettre à son tour au plus grand nombre, au moyen d'un bouquin, ici appelé roman graphique.

© Mohamed Arejdal par Javier Jmelian, Puerto del Rosario, Fuerteventura, Canaries, Espagne, 2012

MA BOÎTE NOIRE
Impression sur papier machine, tirage photographique, 2012
Travail en cours

Arrivé illégalement aux Canaries en 2002 sur un bateau de fortune, Mohamed Arejdal est arrêté avec son ami. Il parvient à s'échapper du commissariat mais est arrêté une seconde fois, instant d'une violence inouïe, immortalisé par une photo publiée dans le journal local. En novembre 2012, il retourne sur les lieux grâce à un visa Schengen sur les traces de son passé...

Ci-contre : *Canarias7*, vendredi 25 novembre 2002

CANELA
FINA

Carmen MERINO

¿Y ahora qué?

Superado el Debate sobre el Estado de la Nacionalidad y ya con todos los elementos sobre la mesa, Coalición Canaria (CC) no tiene más remedio que abordar la cuestión de la candidatura a la Presidencia del Gobierno para los comicios que tendrán lugar el 25 de mayo del año 2003. Oficialmente, su plan es adoptar la decisión en torno a las fiestas navideñas, lo que indica que la opción elegida se tiene que gestar de aquí entonces, de forma que cuando se sienten en la mesa sean capaces de plantear ante la opinión pública una posición unánime y no un conflicto en plena efervescencia.

La respuesta a quién ha de ocupar la candidatura a la Presidencia está en función de un conjunto de factores ya suficientemente expuestos. Sin que necesariamente quepa establecer un orden de prelación, entre estos factores cabe señalar como mínimo el número de apoyos que suscite el candidato entre las distintas familias políticas e insulares de CC, su grado de conocimiento y aceptación ante la opinión pública, el nivel de implantación y el número de votos que cada una de las fuerzas goza en su territorio, el sustento mediático del que goce, la procedencia territorial del candidato, el reparto de las distintas consejerías del Gobierno y los compromisos y compensaciones que las dos principales fuerzas de la organización, ATI e ICAN estén dispuestas a poner sobre la mesa.

«CC ya no tiene más remedio que abordar la cuestión de la candidatura a la Presidencia»

Todos ello son factores que las fuerzas nacionalistas vienen rumiando prácticamente desde el inicio de esta legislatura y, en teoría, al menos una parte de ellos ya están despejados. Pero entre los que quedan por resolver definitivamente se encuentran probablemente los más importantes. ATI cuenta con el principio de alternancia territorial en la candidatura, que aún no ha caducado oficialmente, con el mayor número de votos de entre todos los partidos nacionalistas, un claro sustento mediático en sus islas de influencia y, a día de hoy, la posibilidad de hacerse con la mayoría en los órganos de decisión de la organización nacionalista.

Pero también ICAN tiene en su poder algunos elementos importantes. El más significativo es, sin duda, la dificultad de sustituir al actual presidente del Gobierno sin transmitir a la opinión pública de castigo a una gestión inadecuada de los intereses ciudadanos. También pesa el apoyo mediático en Gran Canaria, su fuerte implantación en la Isla, su teórica capacidad para influir en la conformación de la voluntad última de CC, el progresivo ascenso de Rodríguez en la apreciación ciudadana e, incluso, los seis años que Manuel Hermoso permaneció en la candidatura y en la Presidencia. Su problema puede ser interno, pero no caben dudas si se tiene en cuenta la proclamación de Román Rodríguez, que no de Adán Martín, como candidato por ICAN en el último congreso.

ECHANDO UN VIRGINIO

JUSTICIA

[·—(Siendo generosos, casi benevolentes, habrá que concluir que alguien asesoró mal al portavoz del Gobierno, Pedro Quevedo, cuando le indicó que debía comparecer para *poner a parir* a los operadores judiciales por la carajera —que no es gratuita— que hay montada en la provincia de Las Palmas. Resulta que Quevedo dijo sin inmutarse que por parte de los colectivos profesionales que han reclamado la mejora de los medios de los que disponen «no se ha estado en una posición razonable», para luego añadir que el problema ya está encauzado. «No se puede estar diciendo a la Administración que desarrolle los servicios en Vegueta, porque si no generaría un problema de movilidad y localización, y por otra parte estar insistiendo en posiciones duras», manifestó. El portavoz añadió que ubicar una nueva sede judicial en Vegueta es una posibilidad que sólo «se puede dar con mucha dificultad», aunque admitió que el actual colegio Castilla podría ser el escenario, pese a que resulta «insuficiente». Lo que no dijo es que la solución del colegio Castilla ha estado paralizada porque la Consejería de Educación no ha movido un solo papel para desbloquear el asunto. Y lo que tampoco dijo es por qué en Tenerife siempre se superan todas las trabas, como demuestra el Boletín Oficial del Estado de ayer con el anuncio de la licitación de una sede judicial por la friolera de 14 millones de euros. Finalmente, indicó que en Canarias existe un problema añadido, ya que cuenta con un procedimiento de transferencia de justicia mixto, que es «la peor de la situación de las posibles». ¿Pero no fue CC quien negoció ese traspaso de competencias? ¿Y qué fue de los *voladores* que se lanzaron cuando culminó ese proceso? Lo dicho: no estuvo fino ayer el portavoz.

---

flash — **Detención en Fuerteventura**

FRANCISCO ALEJANDRO

La Policía Nacional trabajó ayer de forma intensa en la isla de Fuerteventura, tanto para hacer frente a los incidentes en el centro de acogida de menores inmigrantes que existe en la capital, Puerto del Rosario, como para detener a un individuo que se resistió a los agentes. La imagen recoge el momento de esta detención.

PREGUNTAS AL HERMANO LOBO

¿Qué hará hoy el PP cuando se aborde en el pleno del Cabildo de Gran Canaria el asunto del parque nacional de Güi-Güi? ¿Se impondrá el criterio de quienes son partidarios de dejar el asunto sobre la mesa?
-Uuuuuhhhhhhhhhh...

¿Por qué se resisten tanto algunos dirigentes de Coalición Canaria a admitir que ha habido contactos con la todavía diputada del PP María Bernarda Barrios para que ésta encabece la candidatura al Ayuntamiento de Las Palmas de Gran Canaria?
-Uuuuuhhhhhhhhhh...

¿Es cierto que Marino Alduán no irá como número dos y que un sector de CC insiste en que dicho puesto debe ser ofrecido a Adrián Déniz, con Rosario Chesa de número tres?
-Uuuuuhhhhhhhhhh...

Le monde ne suffit pas

En résidence à l'espace d'art indépendant le Cube, Mohamed Arejdal, autre figure phare de cette jeune scène marocaine bouillonnante, expose les travaux issus de ce « summer's lab ».

SYHAM WEIGANT

Impossible à faire entrer au Cube le jour du vernissage, «crank», l'œuvre de Mohamed Arejdal est visible Place Piétri à Rabat.

Arejdal est un électron libre, effervescent et imprévisible. Il suffit de l'écouter raconter ses péripéties rocambolesques à la périphérie du Maroc. Il s'intéresse très tôt aux notions de territoires et de frontières qu'il aime questionner, voire transgresser. Après s'être échappé en 2001 du poste de la Guardia Civil des îles Canaries, où il était retenu comme clandestin, il semble s'assagir et opte pour l'enseignement aux Beaux-Arts de Tétouan. Mais le Maroc ne lui suffit pas, il cherche à s'éclipser dès que possible dans une quête qui le pousse vers l'autre et l'ailleurs. Cette fuite en avant lui permet de concevoir ses premiers projets tout en allant à l'aventure. Ainsi, pour Aôbor (Traversée), il décide de se rendre à la Biennale de Dak'art en stop, traversant 3 pays différents. Le voyage est créatif et ponctué de performances, happenings ainsi que par la production d'œuvres et d'une documentation abondante.

MÉTAPHORE D'UN MONDE EN MOUVEMENT

C'est la quintessence de cet esprit inventif et militant que l'on retrouve dans l'exposition du Cube. Pour l'occasion, Arejdal a préparé un étrange globe/moulin en pierre de Salé, métaphore d'un monde en mouvement. Il y aura aussi une installation in situ, constituée de cailloux glanés par l'artiste et qui fait écho à cette phrase qu'il a si souvent entendue dans la bouche de son père : « *c'est avec les cailloux du bled que l'on peut construire le bled.* » Voilà peut-être la réconciliation avec ce pays qu'il a si souvent essayé de quitter et qu'il préfère désormais questionner de façon aigüe et citoyenne. Cela ne veut pas dire la fin du voyage mais peut-être la possibilité d'un port de retour. « *Je n'arrive pas à traverser la rivière sans toucher l'eau, car j'ai aussi envie de l'eau.* » conclut l'ancien vagabond devenu philosophe.

Boufouss et Mohamed, quelques semaines avant leur départ, en juillet 2002.

Remerciements

Quand je reviens à Tétouan, ce soir de fin d'hiver 2007, je suis autant émerveillé qu'épuisé par un long voyage dans les terres marocaines, ayant porté à travers ce royaume la parole d'un groupe d'artistes à peine créé qui aspirait à révolutionner le monde par leurs actions exemplaires. Le « O » naissait, et je le trouvais fascinant. Dans l'appartement sombre du quartier de Sidi Talha, je retrouve les camarades qui partagèrent sa conception, Abdelkrim Saouri, Smail Oulhaj'alla, Abderrahim Nidalha et Mohamed Arejdal. Entre deux nouvelles des autres, deux espoirs, deux rires et deux pipes de kif, Mohamed nous confie son aventure de jeunesse. Les lumières se tamisent et les attentions se précisent.

À l'aube, quand je débranche mon enregistreur et que nous écrasons la dernière cigarette, je sais qu'un jour, quand je serai plus grand, je partagerai à mon tour cette histoire avec le plus grand nombre.

Je sais aussi ma chance d'avoir eu comme amis, et maintenant comme frères, les quatre habitants de ce « nid des aigles » accroché dans les hauteurs de la ville. Salut à toi Mohamed, Abdelkrim, Smail et Abderrahim.

Merci à vous.

Ce livre existe parce que j'ai eu la chance de vous rencontrer.

Permettez-moi de remercier aussi ceux qui me sont particulièrement chers.

À Sophie et Jean-Louis à qui je dois le premier souffle et les encouragements depuis toujours. À la famille Liano-Houbart-Scaturro-Lantenant-Lapeyre-Laguigner-Mallison-Perdereau, ainsi qu'à ma famille Butcher et nos parents recueillants, Marie, Martine et Gilbert, Yolande et Pierre, Daniel et Daniel et à tous nos enfants éveillants, Jeanne, Alexandre, Siam, Margot, Rémi, Chloé et Manon, Timéo, Emilie, Louise, Aïssa, Alix, Sarah, Lamine, Jaden, Charlotte, Sheherazade, Chloé Rose, Albertine, Marty, Agathe, Ranim, Capucine, Ferdinand, Camille et Lou-Suong Maï-Bahiyaa.
À ma famille Baron et à sa plus merveilleuse, courageuse et compréhensive créature, ma compagne dans cette vie, Anne-Sophie.
À ma famille de Belgique, Aline et ses trois hommes, Aurélien et Olivier et Chiodino, Jj et ses punks, Lolotte et son coyote, Martin le Japonais, Hamid mon frère et Patrice mon oncle de la Cave à bière, Laure et son triporteur, Morgane et nos « j'accepte », Rémy et nos « PQs ».
À Saskia, Viviane, Denis, Renaud et Sylvanie, amis et professeurs.
À ma famille marocaine, celle du « O », à Aziz mon oncle de Casa et Latifah sa douce femme, à ma grande sœur Fatiha, ma petite sœur princesse Mimie, aux camarades élèves et à Leïla et Jaouad de l'INBA de Tétouan, aux Lamssouri de Fès, aux Oulhaj'alla de Ouarzazate, et aux Ssouri de Salé et du Douar Tizi.
À Marie Nouteau, la première a m'avoir accueilli au Maroc.
À Sidy, pour avoir lu ce livre, à sa mémoire, à sa forte femme et ses superbes enfants.
À ma famille Palant, particulièrement à Leslie.
À ma famille polynésienne, Albertine et Teva.
À Madame Nicolas, Patrick, Sylvie et leur Taule de bonheur.
À ma famille Ledoux, sur les trois générations.

À Kevin Pleuchot, mon premier élève, révélateur de ma passion envers ce mode de communication.

À Anne Guéro, ange gardien dans ce métier, qui m'encourage depuis la préhistoire de mon travail et m'a présenté Mikhael qui m'a offert une part du CESAN (première école de bande dessinée parisienne), des camarades collègues et des camarades élèves et qui m'a présenté Judith, celle qui a organisé, critiqué et donc contribué à toutes les bonnes choses de ce livre. À Célina qui m'a soutenu dès le départ et qui n'a jamais été effrayée par mes retards.
À Jean-François Chanson qui depuis Rabat m'a toujours apporté son soutien, à Gilles Ollivier pour sa gentillesse.

À tous ceux de l'arc-en-ciel 12, collègues et élèves (surtout ceux de l'atelier BD), merci pour votre amitié, votre soutien et votre générosité, vous m'avez grandi au cours de ces quatre dernières années.

À tous mes maîtres narrateurs, motivants, éclairants : Michel Eyquem de Montaigne, Manu Larcenet, Naoki Urasawa, Jan Guillou, Joe Sacco, André Degaine, Taiyō Matsumoto, Guy Delisle, André Franquin, Joann Sfar avec Lewis Trondheim, Léon Spilliaert, Takehiko Inoué, Théodore Géricault, Georges Higuet, Jean Ferrat, les Monty Python, François Cavanna, Emmanuel Guibert, Georges Brassens, Grégory Jarry et Otto T., Bérurier Noir, Gus Bofa, Amin Maalouf, David B., Fritz Lang, Pascal Rabaté, Orson Welles, Mathieu Bouzard, Xavier Mussat, Dennis Lehane, Hayao Miyazaki, Miguel de Cervantes de Saavedra, Jacques Brel, Daniel Mermet, Rimbaud par Léo Ferré, Marcel Gotlib, Franz Kafka, Sergio Leone, Lyonel Feininger, Wes Anderson, Jean Dubuffet, les frères Cohen, Gustave Doré, Chester Brown, Ricky Gervais, Carlos Giménez, Vincent Willem van Gogh, Stéphane Blanquet, Paul Gauguin, Katsuhiro Ōtomo et George Orwell.

Et bien entendu, à celui qui déteste les remerciements à la fin des ouvrages, mon vieux camarade, cet infatigable culturiste de Cyprien – Valfret – Mathieu.
À Reuné l'Ours et Joseph Kirgov. *L'amour, oui ! La justice, oui ! Le capitalisme, non !*

Je tiens aussi à remercier toute l'équipe technique qui a collaboré à cet ouvrage :
- Aux plumes, encres et Bitmap : Pierre-Henry Gomont.
- Aux Rotring, le 0,25 de Colette et le 0,35 de toujours.
- À la finalisation numérique : Le Photoshop CS1 V8.0 portable (48,4 Mo) Grizzli777 qui fait de la trompette quand on passe dessus.
- Aux sons : Nina Simone, Loïc Lantoine, Alvin Youngblood Hart, Nass El Ghiwane, Neil Young dans la bande originale de *Dead Man*, Keny Arkana (merci à elle pour la citation de Marcos, et merci à Nadia de me l'avoir présentée), Michel Piccoli qui lit les *Essais* de Montaigne, Serge Reggiani, IAM, Gil Scott-Heron, Didier Super.
- À la documentation : Anne de Limoge, le moteur de recherche ixquick, Flickr et le formidable travail de Sara Prestiani, Olivier Jobard pour son travail avec Kingsley, la bibliothèque Forney. À Fernand Melgar et son documentaire *Vol Spécial*, seules images tournées dans un centre de rétention européen.
- Aux impressions préliminaires : toute l'équipe de Gps impression (métro Faidherbe), et particulièrement à Alexandre.
- Aux locaux (avec conseils et amitié) : Elvire.
- Au jour le jour, et toutes les nuits, avec amour, Anne-Sophie.

D'AUTRES HORIZONS EXPLORÉS PAR STEINKIS

Ouvrage dirigé par Judith Peignen

Mise en page : Maqsimum création

Première édition : novembre 2014.
Présente édition : juin 2019.
Achevé d'imprimer par Ozgraf (Pologne).

ISBN 9782368463369
© Steinkis, 2019.

Steinkis
31, rue d'Amsterdam
75008 Paris
www.steinkis.com

« Les hommes construisent trop de murs et pas assez de ponts. »
Isaac Newton